再一次，
第一次

La première fois que je suis née

［法］樊尚·库维勒◎著

［法］夏尔·迪黛特◎绘

吴雨娜◎译

北京科学技术出版社

第一次我睁开双眼的时候，我很快就闭上了。

我哭了。

一双手抱起了我，把我放在了两座乳山之间。

我不哭了。

我生平第二次睁开了眼睛。

我见到了世界上最温柔的光：妈妈的目光。

第一次我见到爸爸的时候，他流泪了。

但是，他的脸上挂着大大的笑容。

他看着我，就像是第一次见到我。

嗯，他确实是第一次见到我。

第一次我听见自己的名字时，

我并不知道那是我的名字。

爸爸说了好多好多话，

我的名字就藏在其中。

第一次他们亲吻我的时候，

我简直不知道是谁亲吻了我。

妈妈把我紧紧地搂在胸前，

爸爸朝我俯下了身子。

我只知道我很喜欢这种感觉，

希望它不要消失。

我的运气很好，

它真的陪伴了我很久很久。

第一次他们把我放入水中的时候，

我大哭，大叫，挥舞胳膊，乱蹬小腿。

围在我身边的大人们都笑了。

然后，不知道为什么，

我的脑袋也滑入了水中。

那种感觉让我想起了当我还是一条鱼的时候。

第一次我尿尿的时候，我尿在了爸爸身上。

第一次我听见音乐的时候，

其实那并不是第一次。

第一次我吐爸爸一身奶的时候，

爸爸整个儿都变绿了。

第一次我学走路的时候，我摔倒了。

第一次我摔倒的时候，我爬起来了。

第一次我爬起来的时候，我学会走路了。

第一次我照镜子的时候，里面的人对我笑了。

第一次我祈祷的时候，

我一整夜都在等着答复。

第一次我梦到自己飞的时候，

我真的飞起来了。

第一次有亲人去世的时候，

妈妈把我抱在怀里，安慰我。

但是，其实是我把她抱在怀里，安慰她。

28

第一次我骑不带小轮子的自行车时，

我闭上了眼睛，撒开了双手，撇下了爸爸。

第一次我滑倒在岩石上的时候，

岩石哭了，我没哭。

第一次我吃豌豆的时候，

我吃了127粒，掉了18粒。

其中11粒掉在了地上，7粒掉在了桌子上。

我还扔了3粒到苹果树上。

老师说，我也是一粒豆，小憨豆。

第一次我放开妈妈的手时，我们是在超市里。

她找到我的时候，

我正在熟食柜台前对着鸡腿说话。

36

第一次我……哦，我很喜欢这个第一次。

那是一个周日的夜晚，我们从海边回来，

我裹着被子躺在汽车后座上。

爸爸在等红灯的时候转过头来看了看，

说："小家伙睡着了。"

到了家门口，我还紧紧地闭着眼睛，

就是为了听爸爸说一声"嘘"，

然后把我抱在怀里。

我笑了。

爸爸把嘴凑到我的耳边说：

"我的小土拨鼠，我亲爱的小土拨鼠。"

那是我第一次听见他这么叫我。

第一次我坐公共汽车的时候，

我刷了三次卡，心里才踏实。

然后，我爬到爸爸的膝盖上，

亲了他三次，心里才踏实。

第一次我吹小号的时候，

我吹的其实不是小号。

第一次我喝咖啡的时候，我放了不止 7 块方糖。

第一次我乔装打扮的时候，我扮成了公主。

第二次我乔装打扮的时候，我扮成了公主。

第三次我乔装打扮的时候，我扮成了公主。

其实，我就是一个公主。

第一次我见到白鹭展开双翅

沿着河岸飞翔的时候，

我决定以后就拿它当我的标志——从河中飞起的白鹭。

第一次我见到海的时候，

海说："她真高啊！她真美啊！

她的眼睛真蓝啊！"

第一次我踢足球的时候，就我一个人踢。

我赢了。

第一次我见到亚斯丽的时候，

我揪了她的头发。

因为她拿了套环，老师却说是我拿的。

然后她踢了我一脚，我又拿套环抡了她一下。

后来，老师惩罚了我们俩。

再后来，我们俩成了好朋友。

第一次我看见流星划过天空的时候，

我许下了一个心愿。

但是我不能说出来，

要不然就不能实现了。

56

第一次我看见海鸥的时候，

我觉得它好有趣。

第一次我看见猫头鹰的时候，

我觉得它也好有趣。

第一次我在大家面前吹小号的时候，

爸爸的耳朵简直不敢相信他的眼睛，

妈妈高兴得双手直在双腿上打拍子。

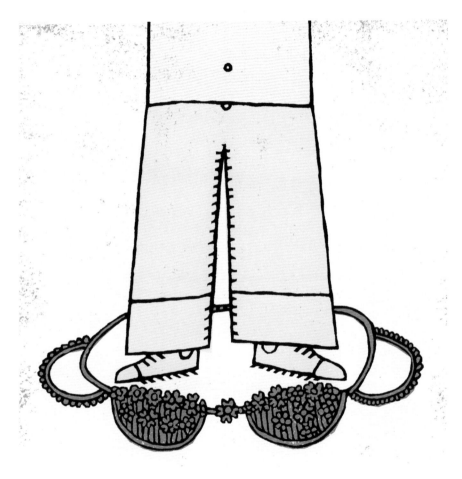

第一次我穿文胸的时候，它太大了。

第一次我跟男孩跳舞的时候，

我踩到了他的脚。

正好他有一双大脚。

再一次，第一次

第一次我坐火车的时候，火车晚了20分钟。

我也是。

第一次我发觉自己 13 岁的时候，我变了。

第一次他的手放在我的手上时,

我合上眼,感觉到微风拂面。

第一次一个男孩吻我的时候，

是在一棵大树后。

他用树杈般结实的双臂抱住我，保护我。

第一次这个男孩不再吻我的时候，

我把他的照片撕碎，扔进了火中，

那堆枯树枝中。

74

第一次我感到忧伤的时候，我是真的忧伤。

我到河边散步，把忧伤都告诉了白鹭。

第一次我邀请朋友们来家里吃饭的时候，

我做了肉丁面。

但是面太多了，肉丁不够。

我邀请的女孩太多了，男孩不够。

但是，我真的很喜欢肥肉丁。

第一次我见到他的时候，

他穿着天蓝色的衬衣，眼睛闪烁着光芒。

第一次我为他脱下天蓝色的衬衣时，

他的眼睛也一直闪烁着光芒。

第一次我为他做饭的时候，

我做了烤焦了的馅饼、烤焦了的火腿和烤化了

的巧克力。

第一次你在我肚子里轻轻游动的时候，

我闭上了眼睛，听见了大海。

第一次我为你吹小号的时候，

　　你用小脚打着拍子。

我简直不敢相信自己的眼睛。

第一次我见到你的时候，

你紧闭着双眼，我变成了大海。

第一次妈妈知道她要成为外婆，

爸爸知道他要成为外公的时候，

他们一下子年轻了 20 岁。

第一次我们为你起名字的时候，

我们说了好多好多话，你的名字就藏在其中。

第一次你出生的时候，

就是第二次我出生的时候。

La première fois que je suis née © Gallimard Jeunesse, 2006

Simplified Chinese Translation Copyrihgt © 2022 by Beijing Science and Technology Publishing Co., Ltd.

著作权合同登记号　图字：01-2022-1336

图书在版编目（CIP）数据

再一次，第一次 /（法）樊尚·库维勒著；（法）夏尔·迪黛特绘；吴雨娜译 . — 北京：北京科学技术出版社，2022.8

ISBN 978-7-5714-2111-3

Ⅰ . ①再… Ⅱ . ①樊… ②夏… ③吴… Ⅲ . ①儿童故事—图画故事—法国—现代 Ⅳ . ① I565.85

中国版本图书馆 CIP 数据核字（2022）第 026031 号

策划编辑：袁艳艳
责任编辑：田　恬
责任校对：贾　荣
责任印制：李　茗
装帧设计：源画设计
出 版 人：曾庆宇
出版发行：北京科学技术出版社
社　　址：北京西直门南大街 16 号
邮政编码：100035
电　　话：0086-10-66135495（总编室）
　　　　　0086 10-66113227（发行部）
网　　址：www.bkydw.cn
印　　刷：北京博海升彩色印刷有限公司
开　　本：889 mm × 1194 mm　1/32
字　　数：40 千字
印　　张：3.25
版　　次：2022 年 8 月第 1 版
印　　次：2022 年 8 月第 1 次印刷
ISBN 978-7-5714-2111-3

定　　价：49.00 元